Este libro pertenece a:
Princesa Isabella

# Contenido

ESTUDIO DIDÁCTICO
es una marca registrada de EDIMAT LIBROS, S.A.


C/ Primavera, nº 35 - Pol. Ind. El Malvar
28500 Arganda del Rey - MADRID - ESPAÑA
Telf. (+34) 918 719 088 - Fax (+34) 918 719 071

E-mail: edimat@edimat.es - www.estudiodidactico.es


Publicado bajo licencia por Edimat Libros, S.A.
Ilustrado por Amanda Enright
Traductor: SEVEN



ISBN: 978-84-9786-697-2 - D.L.: M-18113-2015

Impreso en China

# Historias de Princesas

# El superlimpiador de la princesa Astrid

A la princesa Astrid le encantaba inventar cosas. «Ojalá pudiese inventar algo para que mi familia fuese menos desordenada», pensó un día. «Esta noche es el baile real y me preocupa que los invitados piensen que el palacio está hecho un desastre».

Había huellas de barro en la alfombra, toallas en la barandilla y telarañas por todas partes. «Nadie va a ayudarme a recoger», suspiró Astrid. «Son demasiado perezosos. Tengo que inventar algo para limpiar todo esto lo más rápido posible».

Astrid decidió inventar un superlimpiador, pero había un problema: sus inventos no siempre funcionaban como deberían hacerlo. El generasol hizo que lloviese durante tres semanas y el quitahierbas automático arrancó las rosas de la reina, que se enfadó bastante, por cierto.

La princesa Astrid llevó el superlimpiador a la cocina y lo encendió. Con un rugido se puso en marcha y limpió las migas, lavó los platos y quitó las telarañas. Astrid estaba encantada con él. «El superlimpiador dejará todo como los chorros del oro antes de que lleguen los invitados», dijo.

En el salón de baile, el superlimpiador limpió el suelo y las lámparas al mismo tiempo. Astrid lo observaba satisfecha, hasta que, de repente, empezó a vibrar y a hacer un ruido raro. Entonces hubo una gran explosión y el salón se llenó de humo.

«Oh, no», dijo Astrid, muy triste. «Ahora ya es imposible que el salón esté limpio a tiempo para el baile», y rompió a llorar.

Justo entonces llegó corriendo el resto de la familia real. «Sentimos haber sido tan perezosos», dijeron. «Vamos a limpiar entre todos». La reina se puso a barrer de inmediato y el rey empezó a sacar brillo. Hasta los hermanos pequeños de Astrid se pusieron a trabajar.

Entre todos consiguieron ordenar y limpiar el salón de baile y justo cuando estaban guardando las escobas y las bayetas, llegaron los primeros invitados. La reina se recolocó la corona y sacudió las migas de la ropa del rey. El príncipe se quitó una telaraña del pelo y las princesas limpiaron el polvo de sus vestidos.

La banda empezó a tocar y todos se pusieron a bailar y a charlar. Astrid miraba asombrada el reluciente salón. «El superlimpiador ha sido un desastre, pero he aprendido algo importante», dijo. «No hace falta inventar nada para hacer las cosas, basta con saber trabajar en equipo».

# La trompeta de la princesa Alexia

Un ruido horrible salía del palacio rosa. Los unicornios reales salieron huyendo aterrorizados, las palomas reales se fueron volando e incluso el dragón que vivía cerca de allí se tuvo que tapar los oídos. El ruido lo hacía la princesa, que estaba tocando la trompeta.

Alexia tocaba el piano, el arpa y hasta la guitarra eléctrica, pero lo que más le gustaba tocar era la trompeta. El único problema era que no la tocaba muy bien. «Cuanto más practique, mejor tocaré», pensaba Alexia. «Seguro que mamá estará encantada de oírme tocar», dijo antes de ir en busca de la reina.

La reina se estaba echando una siestecita en su trono cuando apareció la princesa y empezó a tocar la trompeta. «¡Oh, cielos!», exclamó la reina a punto de caerse del trono. «Esa trompeta hace demasiado ruido, Alexia. Ve a tocarla a la torre para que pueda dormir tranquila».

«Lo siento, mamá», dijo la princesa Alexia mientras se alejaba.

En la torre, Alexia oyó un ruido de bocina. «Papá está jugando otra vez con su tren de juguete», dijo. «El sonido que hago yo es mejor que ese ruido». Abrió la puerta y dio una nota con su trompeta. El rey se sobresaltó de tal manera que estrelló el trenecito. «No toques aquí la trompeta, Alexia», dijo. «Ve a tocar fuera, por favor».

Fuera, el hermano de Alexia, el príncipe Henry, estaba pintando la fuente real. La princesa tocó una nota tan fuerte que asustó al príncipe. «¡Qué susto me has dado!», gritó, pintando accidentalmente por donde no era. «Vete de aquí, Alexia».

Justo en ese momento, llegó el jardinero real con unas flores preciosas para plantar. «Mejor voy a pintar las rosas», dijo el príncipe lanzando una mirada fulminante a Alexia. «Ya que mi otro cuadro ha quedado arruinado».

«No se preocupe, alteza», dijo el jardinero a la princesa. «Ya sé dónde puede tocar». Alexia le siguió hasta el jardín trasero, donde se cultivaban las verduras.

«Aquí no molestará a nadie», dijo el jardinero. «Aquí solo están esos pájaros descarados que vienen a picar las plantas y a comerse las semillas. Ni siquiera el espantapájaros los asusta».

Alexia sonrió. «Creo que puedo ayudarte con eso», dijo, y a continuación sopló con fuerza la trompeta, espantando así a los pájaros.

Cuando se fueron todos los pájaros, Alexia se sentó en un banco con el jardinero, que sacó una caja de fresas deliciosas. «De no haber sido por usted, los pájaros se las habrían comido», dijo. «Puede tocar aquí siempre que quiera».

Alexia se puso muy contenta. ¡Ahora podría hacer todo el ruido que quisiera sin que nadie se quejase!

# Una sorpresa para una princesa

La princesa Isabella estaba muy emocionada porque era su cumpleaños. Saltó de la cama y corrió escaleras abajo hasta el comedor, pero no había nadie allí. «A lo mejor se han olvidado de mi cumpleaños», pensó Isabella. Se sirvió unos cereales y vio un sobre dorado con su nombre escrito. Nerviosa, lo abrió y leyó la nota que encontró dentro.

*«Desayuna y ve al lugar donde te cepillas los dientes y te lavas la cara».*

«Es un juego de pistas», gritó Isabella antes de salir corriendo hacia el cuarto de baño en busca de la siguiente pista.

Princesa
Isabella

Isabella buscó por el cuarto de baño y encontró una pista oculta detrás de la pasta de dientes, junto a la ventana.

*«No te pares a descansar después de limpiarte los dientes.*
*Ve al lugar donde te vistes».*

Así pues, Isabella se cepilló los dientes hasta dejarlos limpios y brillantes y corrió al vestidor.

En el vestidor real, Isabella encontró el vestido más bonito que había visto jamás. Se lo puso y dio una vueltecita. Al moverse, cayó otra pista del bolsillo.

*«Sube a la torre del tesoro. Allí encontrarás una flor especial».*

Isabella subió corriendo a la torre, donde se guardaban las joyas de la corona. En un cojín de terciopelo había una horquilla para el pelo con forma de flor. La princesa sonrió y se la puso.

Entonces vio algo debajo del cojín. «Creo que ya sé lo que hay en este sobre», dijo.

Isabella lo abrió y leyó la pista, pero no estaba muy clara.

*«Sube a bordo y cierra los ojos.*
*Ocho patas te llevarán hasta una sorpresa».*

De repente, Isabella oyó un sonido de cascos de caballos que provenía de afuera.

Un carruaje real tirado por dos caballos llevó a Isabella hasta los jardines de palacio, donde los reyes la estaban esperando. También estaba su mejor amiga, la princesa Camila. «¡Sorpresa!», gritaron. «¡Feliz cumpleaños, Isabella!»

Había un cofre lleno de regalos maravillosos y el cocinero real hizo una tarta deliciosa con velas. «Muchas gracias», dijo Isabella. «Tengo mucha suerte de tener una familia tan buena y una sorpresa de cumpleaños tan estupenda».

# El primer día de la princesa Victoria

Era el primer día de la princesa Victoria en la Escuela Real y estaba muy nerviosa. «Ojalá tuviese amigos», pensó con tristeza. «¿Y si nadie me habla en todo el día?» No conocía a nadie y era demasiado tímida como para pedir a otros que jugasen con ella.

Victoria caminó hasta la puerta del colegio. Sentía mariposas en el estómago. Vio a otros niños hablando y riendo, pero nadie pareció fijarse en ella. Le dieron ganas de llorar. «Creo que no me va a gustar el colegio», pensó. En ese momento sonó la campana. Tenían que ponerse en fila para entrar.

Las clases eran divertidas y la mañana se pasó rápido, pero Victoria no tenía ganas de salir al patio. «No quiero estar sola», pensó. Estaba mirando cómo jugaban los demás cuando oyó una voz amable. «Hola, soy la princesa Bárbara, ¿quieres jugar conmigo?», dijo una niña muy simpática.

Las dos nuevas amigas reían mientras jugaban en los columpios. Saltaban y jugaban juntas. «Vamos a ver si alguna niña más quiere jugar», dijo Bárbara. «Será divertido». Victoria no lo veía muy claro, pero enseguida Bárbara le presentó a otras amigas que le gustaron mucho. «Creo que al final sí que me va a gustar el colegio», dijo con alegría.

Mientras jugaba con sus nuevas amigas, Victoria vio a una niña que estaba sentada sola. «Parece triste», pensó, y se acercó a ella. «Ven a jugar con nosotras», dijo Victoria, y la niña sonrió feliz.

«Gracias», dijo. «Me llamo Ingrid».

«Enseguida tendrás muchas amigas para jugar», dijo Victoria.

Victoria presentó a Ingrid a Bárbara y las otras niñas y no tardaron nada en empezar a divertirse cantando y saltando juntas. Pronto se hicieron muy amigas. «Es bueno ser amable cuando conoces a alguien nuevo», dijo Victoria. «Ahora sí que puedo decir que he disfrutado de mi primer día de cole».

# La cometa nueva de la princesa Carlota

La princesa Carlota estaba muy emocionada. Llevaba siglos esperando un día de viento para poder volar su cometa nueva. «Mi cometa subirá más alto que la torre del palacio», dijo. Su hermana pequeña, Leila, le preguntó si también podía jugar, pero estaba tan emocionada que no la escuchó y salió corriendo.

Tras varios intentos, Carlota consiguió que la cometa volase. Bajaba en picado y volvía a subir empujada por el viento, con la cola agitándose detrás. Carlota tiraba de la cuerda, haciéndola bajar y bailar, pero la cometa subió tan alto que casi no podía controlarla.

Una fuerte ráfaga de viento arrastró la cometa y la colgó en un manzano. Carlota intentó bajarla, pero estaba muy enganchada. «¿Te ayudo?», preguntó Leila. «No, gracias, puedo yo sola», dijo Carlota, y por fin consiguió descolgar la cometa.

La princesa Carlota empezó a volarla otra vez. Giraba y brillaba en el aire empujada por el viento y Carlota empezó de nuevo a tener problemas para controlarla. «¿Necesitas ayuda?», preguntó la princesa Leila.

«No gracias», murmuró Carlota. «Yo me las arreglo». Pero mientras hablaba, se rompió la cuerda y la cometa salió disparada hacia el cielo.

Mientras veía cómo su cometa desaparecía a lo lejos, Carlota tuvo que secarse una lágrima que le resbalaba por la mejilla. Al ver lo disgustada que estaba su hermana, Leila se acercó y la rodeó con el brazo.

«Podemos hacer juntas una cometa mejor», dijo Leila. Las dos hermanas consiguieron todo lo necesario para hacer una cometa nueva, que les quedó genial.

Aquella tarde, las princesas jugaron juntas con su cometa nueva. Subía muy alto y flotaba con la brisa, con las cintas ondulando y los abalorios brillando bajo el sol.

«Es mucho más divertido jugar juntas», dijo Carlota.

«Ahora tenemos una cometa increíble que podemos compartir», dijo Leila sonriendo.

# La princesa mimada

Érase una vez una princesa que tenía un hada madrina. El hada le daba todo lo que pudiera desear, pero la princesa mimada nunca pedía las cosas por favor ni daba las gracias.

«Quiero mil pastelitos», exigió la princesa. El hada madrina los hizo aparecer, pero la niña mordió uno y lo tiró.

Luego, pidió un dragón morado. El hada madrina lo hizo aparecer, pero las llamas que salían de su nariz asustaron a la princesa. «Hazlo desaparecer», lloriqueó.

Cuando la princesa mimada pidió un vestido nuevo, el hada madrina conjuró un vestido amarillo de lentejuelas precioso. «Lo quería rosa, no amarillo», dijo la princesa.

El hada madrina estaba empezando a cansarse, pero agitó la varita y transformó el vestido en uno rosa.

El vestido rosa era bonito, pero de repente la princesa vio un pájaro azul en el césped y dijo: «Haz que el vestido sea azul. O mejor rojo. No, mejor a rayas».

La princesa siguió cambiando de opinión una y otra vez. «Quiero un vestido como el arcoíris, con todos los colores», reclamó.

El vestido cambiaba de color a una velocidad increíble. Primero uno y luego otro, y otro más. Al final, sonó un fuerte ¡PUM! y el vestido empezó a romperse. «¿Qué está pasando?», preguntó.

El hada madrina cayó al suelo. Su capa estaba rasgada y la varita mágica colgaba rota de su mano. «Demasiada magia», dijo en un suspiro antes de caer en un profundo sueño.

Al ver la cara del hada madrina agotada y con el pelo alborotado, la princesa se sintió culpable. «Siempre ha sido buena conmigo y yo he sido una egoísta», dijo. «No sé arreglar varitas mágicas rotas, pero le demostraré cuánto lamento lo que ha pasado».

La princesa recogió los jirones de su vestido y corrió al palacio.

Trabajando lo más deprisa que podía, la princesa unió todas las piezas y cosió una capa nueva. Cuando el hada madrina despertó se puso muy contenta. «Es preciosa», susurró poniéndose la capa nueva.

«Es mucho más bonita que la que tenía antes. Eres muy amable, princesa».

«Siento haber sido tan egoísta y mimada», dijo la princesa sonriendo. El hada madrina estaba tan satisfecha que arregló su varita y la agitó para hacer aparecer una corona en la cabeza de la niña.

«Ahora las dos llevamos algo bonito», dijo el hada, y por primera vez en su vida, la princesa le dio las gracias.